U0721429

“遗”脉相承，老祖宗的传家宝

传统美术

丛书主编　王文章
本书主编　杨　坤
绘　　图　周博文怡　陈　丹
封面设计　管小辉

中国大百科全书出版社

图书在版编目（CIP）数据

“遗”脉相承，老祖宗的传家宝．传统美术／《“遗”脉相承，老祖宗的传家宝》编委会编．——北京：中国大百科全书出版社，2018.3

ISBN 978-7-5202-0231-2

Ⅰ．①遗… Ⅱ．①遗… Ⅲ．①中华文化—青少年读物 ②民间美术—中国—青少年读物 Ⅳ．①K203-49 ②J528-49

中国版本图书馆CIP数据核字（2018）第008936号

社　　长：刘国辉

选题策划：连淑霞　　丛书责编：余　会　　营销编辑：刘　嘉

责任编辑：李　静　　版式设计：张　磐　　责任印制：魏　婷

出版发行：中国大百科全书出版社　　http://www.ecph.com.cn

社　　址：北京阜成门北大街17号　　邮政编码：100037

印　　刷：北京顶佳世纪印刷有限公司

开　　本：889mm×1194mm　1/16　　印张：2　字数：30千字

版　　次：2018年3月第1版　　2018年3月第1次印刷

ISBN 978-7-5202-0231-2　　定价：36.00元

（如发现印装质量问题，请与本社联系调换，电话：88390713）

寄语

非物质文化遗产世代传承，与人们的日常生活紧密相连，很多都表现为人们的生活方式和生产方式。在现代化进程中，虽然人们的生活方式和生产方式都在改变，但这些文化遗产中寄寓的人类的智慧、精神、情感，仍然是我们徜徉的精神家园，也是我们文化创新和文化自信的重要根基。习近平主席强调坚持文化自信，强调立足中华优秀传统文化，培育和弘扬社会主义核心价值观。我们更应珍视中华民族优秀的非物质文化遗产，要以自觉意识参与保护，从而在珍视和保护中细雨入心，以文化人，坚定文化自信。

《“遗”脉相承，老祖宗的传家宝》儿童绘本的出版，正是从儿童抓起，为儿童提供认知非物质文化遗产的图文并茂、形象生动的读物，在他们幼小的心灵里播下中华民族世代相传的文化的种子，厚植民族文化的基因。

《“遗”脉相承，老祖宗的传家宝》注重从核心思想理念、中华传统美德、中华人文精神三个层面挖掘探求非物质文化遗产内涵，并全面展示我国具有代表性的非物质文化遗产的鲜明特征及其传承发展的社会和自然生态环境。难能可贵的是，绘本深入浅出，化繁为简，捕捉灵魂，将非物质文化遗产的知识体系融入生动细致的手绘插画之中，让孩子们阅读起来既汲取知识，又可感受审美意趣。相信它的出版，会为儿童阅读带来乐趣，也会为孩子们认知非遗价值，学习非遗知识，唤起保护意识起到良好作用。

王文章

2018年2月8日

目录

木版年画

过年啦！噼里啪啦的爆竹声是节日里跳动的音符，而花花绿绿的木版年画则在视觉上渲染了年味儿。看，集市上挂满了琳琅满目的木版年画，有象征吉祥如意的《福娃闹春》、讲述神话传说的《牛郎织女》……

作为我国古老的民间艺术之一，木版年画不仅体现了艺人丰富的想象力和绘画技巧，还反映了各时期的民俗文化、社会形态。过年时，记得在家里贴几幅喜庆的木版年画哦！

木版年画

历史

木版年画历史悠久，相传在汉代即已出现，宋代称之为“纸画”，明代则叫“画帖”，清代开始正式定名为“年画”。

在千百年的发展过程中，逐渐形成了若干个相对集中的木版年画产地，各产地既保持着与其他地区技术上的交流关系，又保持着自身在题材和形式上的独创性。

申报时间：　2006

申报类别：　传统美术

申报地区：　陕西省（凤翔木版年画）
天津市（杨柳青木版年画）
江苏省（桃花坞木版年画）
……

现状

木版年画是中国民间在逢年过节之际用以迎新接福的一种传统艺术样式，手法多样，色彩鲜艳，因地域差异而产生出多种风格。

它审美品位高，艺术特色鲜明，信息承载量大，蕴涵着深刻的民族心理和传统的人文观念。

题材

* 驱凶辟邪；
* 祈福迎祥；
* 戏文传说；
* 喜庆装饰；
* 生活风俗。

样式

木版年画样式多样，可以装饰在很多地方。比如，有门画、历画、中堂、四扇屏、窗顶、窗旁、福字灯等。

四扇屏

门画

南北两大中心

杨柳青木版年画　流行于我国北方的木版年画品种，产生于明代天津西的杨柳青镇。作品早期典雅、细腻，晚期则追求火红强烈的效果。代表作品有《莲笙贵子》《三美图》《盗仙草》等。

桃花坞木版年画　流行于我国南方的木版年画品种，产生于明代。它继承了宋代的雕版印刷工艺，同时使用人工着色和彩色套版，看上去雅致、精美。比较知名的如《百子图》《西湖十景图》等。

月份牌年画

与传统的木版年画相比，月份牌年画是一种新生事物，兴起于 20 世纪初的上海，从侧面反映了当时的社会生活。因既能欣赏年画，又能查看日历，所以备受青睐。它的表现手法多样，看上去色彩柔和、笔法细腻、立体感强。

关帝赐画

明永乐年间，有个叫宋良的年轻人，靠卖纸为生。

一日，宋良卖纸回来的路上，突遇暴雨。他赶紧跑到路旁的关帝庙里避雨。虽然又累又饿，宋良却舍不得吃给娘买的两个烧饼。雨一直下，宋良不知不觉睡着了。睡梦中，一红脸大汉趔趔趄趄走进来，指着自己的肚子喊“救命”。宋良忙拿出烧饼递给大汉吃，接着又打开纸挑子，将纸铺在地上，扶大汉躺下。谁知大汉转眼间不见了。宋良惊醒，只见纸挑子还在，纸全都变成了画。画上的大汉红脸、长须、绿袍、大刀，与庙中的关帝像分毫不差。

待宋良回到家，娘告诉他是关帝老爷赐神像保平安。第二天，宋良将画分给了乡亲，这一年果然风调雨顺、家家平安。

后来，宋良开了一家木版年画店，除了印刷关帝、灶王等神画像，还印刷花鸟鱼虫等。木版年画从此在民间流传开来。

剪纸

“叶逐金刀出，花随玉指新。”从这首诗中，你有没有体会到古人剪纸时优美的动作和栩栩如生的花草树叶？这就是广泛流传于中国民间的艺术形式——剪纸。

一把剪刀、一张纸，就能神奇地裁剪出窗花、门笺等造型各异的图案。剪纸看似简单，但实际上大有学问。人们究竟是如何利用这种特殊的表现形式，表达出生活中的花鸟鱼虫、喜怒哀乐呢？

剪纸

申报时间：2006

申报类别：传统美术

申报地区：陕西省（安塞剪纸）

山西省（中阳剪纸）

辽宁省（医巫闾山满族剪纸）

……

历史

中国剪纸历史悠久，从古史典籍中记载的传说故事可追溯到汉代——纸发明于汉代。隋唐以后，剪纸艺术日益繁荣；明清达到了高峰期。

公元六世纪，南北朝时期的剪纸残片在新疆吐鲁番阿斯塔那墓出土，复原后的几何形团花形式的剪纸和今天的无太大区别。所以，我们可以推测剪纸的历史可能还要早一些。

现状

在非遗保护的热潮中，剪纸作为一种雅俗共赏的艺术创作形式，已逐渐进入城市生活。它所传达的喜庆、如意的意象深得人们的喜爱，并不断传承下去。

使用工具

剪刀、铅笔、宣纸、蜡盘、刻刀。

刻刀

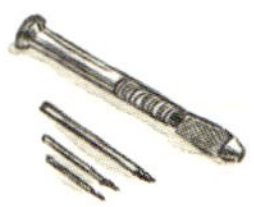
打孔器

剪刀

镊子

磨刀石

蜡盘

宣纸

刚出生时，“观音送子”
表示添喜、富贵

成年结婚时，“龙凤呈祥”
意味着圆满祥和，家庭幸福

特点

*线条圆如秋月、尖如麦芒、方如青砖、缺如锯齿、线如胡须；

*构图造型图案化，常见的有“层层垒高”或并用“隔物换景”的形式等；

*形象夸张、简洁、优美，富有节奏感；

*色彩单纯、明快；

*刀法“稳、准、巧”。

五瓣形折叠花

四瓣形折叠花（一）

四瓣形折叠花（二）

十二岁时，“长命百岁图”
是老人对晚辈的期望

老年儿孙满堂时，“福禄寿喜”
表示对老人的衷心祝福

吉祥如意

这幅“吉祥如意”剪纸，巧妙运用了“鸡”和“象”的谐音，分别代表“吉”和“祥”。剪纸的一大特点是形象夸张、夸大，就像图中体态饱满的大象，以及站在大象背上雄赳赳气昂昂的公鸡。更巧妙的是，大象的眼、眉剪成了笑眯眯的月牙形，鼻子上还顶着盛开的小花，别提多喜庆了。

六合同春

光绪年间，北京城里住着祖孙俩。二人心灵手巧，只需一把剪刀、几张纸，便能剪出花鸟鱼虫，活灵活现。

这一年，慈禧太后举办六十大寿，要求举国上下穿“六（鹿）合（鹤）同春”拜寿袍。一时间，北京城的绣花作坊水涨船高，要价越来越高。富贵人家还好，穷苦人家可怎么办呢？祖孙二人整日坐在家里犯愁……

一天，门口来了个讨饭的姑娘，临走时留下一件“六合同春”拜寿袍——布袍上的花纹是用花样剪纸贴上去的。祖孙二人豁然开朗，很快就照样制作出一件“六合同春”拜寿袍。消息一经传开，大家纷纷前来定做用剪纸制作的“六合同春”拜寿袍。从此，剪纸艺术便在民间流传开来。

面人

“捏一个猪八戒吃西瓜，捏一个唐僧骑大马，捏一个沙和尚挑着箩，再捏一个孙悟空把金箍棒耍。”这首朗朗上口的儿歌，唱出了捏面人的老爷爷顶呱呱的技艺！

面人，也称“面塑”“江米人”。它以面粉、糯米粉为主要原料，经过一系列创作加工，赋予普通的小面团以鲜活的生命。这种民间传统工艺从神话传说、历史故事及地方戏曲中选材，捏制出栩栩如生、千姿百态的人和动物。捏面人的艺人挑着担子走街串巷，总会伴随着孩童银铃般的欢笑声……

面人

申报时间： 2008

申报类别： 传统美术

申报地区： 北京市（北京面人郎）

上海市（上海面人赵）

山东省（曹州面人）

……

历史

面人艺术历史悠久，具体产生于何时，已经没有人能说清楚了。但自古以来，逢年过节或者祭拜时，人们总会制作出具有特殊意义的面人，来寄托各种各样的情感和祝福。

现状

当今社会的文化形式丰富多彩，面人艺术渐渐远离人们的日常生活。不过，你所在的城市如果有庙会或者传统文化气息浓厚的景点，不妨去找找看，有没有民间艺人仍然沉浸在这种古老的手工艺中。

基本类型

“签举式”多为娱乐儿童的食玩品，造型简略，形态生动；

北京面人郎

“案置式”则是雅化的陈设艺术品，做工考究，造型精致，还需在原料中混入添加剂作防裂、防虫、防霉处理。

曹州面人

上海面人赵

制作流程

* 采用捏、搓、揉、掀等手法，塑造出面人的大体形状；
* 再用小竹刀灵巧地点、切、刻、划，刻画出手脚、头面、神情等局部细节；
* 还要给基本成型的面人加上发饰、衣裙、武器等小部件。

曹县江米人

欢鱼吉兔

农历七月十五，在黄河流域一带流传有捏面人习俗。家家做面塑，上坟祭祖，馈赠亲友。一般是送男孩罗汉娃娃，送女孩面鱼、面兔，取“欢鱼吉兔”之意。

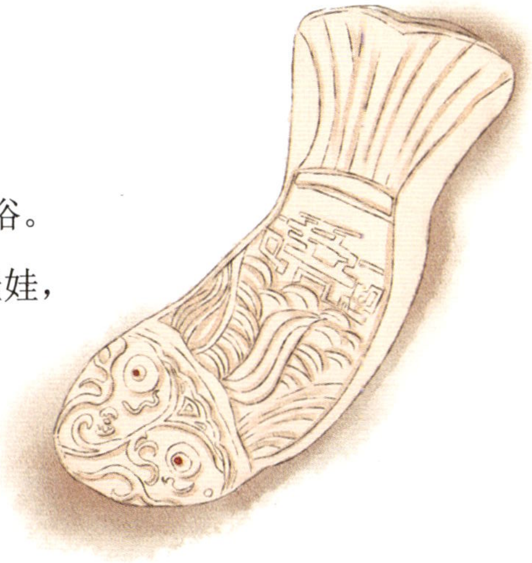

捏面人的由来

捏面人这种手艺流传至今已有二三百年了。传说它和刘墉还有点儿关系呢。

刘墉在北京当官，家里有个厨子老王。老王心灵手巧，能把江米面、精米面和好捏成仙桃、花儿、蝴蝶等形状，再蒸熟，可爱至极。大家都舍不得吃了。

刘墉觉得很有意思，等到乾隆寿辰时，他奉上了老王用面精心制作的九个仙人。乾隆龙颜大悦，赏了十两银子给刘墉。

老王用刘墉给的十两银子做本钱，在京城开起了作坊，生意络绎不绝。为了不让手艺失传，老王把手艺传给了儿子、孙子……捏面人这门手艺也就一代一代地在北京传了下来。

内画

内画，是在以玛瑙、玻璃、水晶等为原料的透明或半透明器皿内壁，用特制的变形细笔绘制的图画，是我国独有的一门艺术。令人惊叹的是，居然能在如此光滑的内壁上，反手画出栩栩如生的山河风光、花鸟虫鱼、飞禽走兽。

这些晶莹剔透的艺术品，不仅彰显了精致的内在美，更体现了内画艺人耐心、细腻、执着的匠人精神。真可谓“小世界，大乾坤”！

内画

申报时间：2006

申报类别：传统美术

申报地区：北京市（北京内画鼻烟壶）

广东省（广东内画）

河北省（衡水内画）

历史

内画技艺产生于清代，源自内画鼻烟壶，在 1890 ～ 1945 年发展到高峰。主要在北京、河北、山东、汕头一带流传，形成了“京派”“冀派”“鲁派”“粤派”等流派。

现状

内画作品极具艺术欣赏和研究价值，受到国内外收藏家的追捧。对内画艺人的要求很高，需兼具绘画、书法，甚至历史文化修养。很遗憾，从业人员渐渐流失。

题材

内画题材丰富多样，山光水色、飞禽走兽、古今人物、奇花异卉都可以巧妙地绘制在器皿内壁。别看“舞台”小，但表现的内容栩栩如生、趣味盎然。

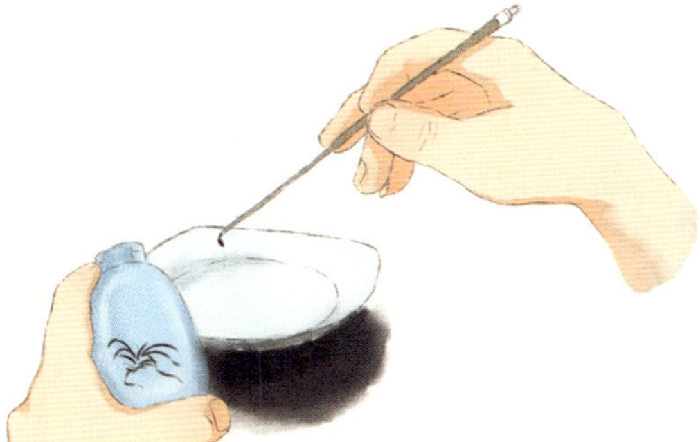

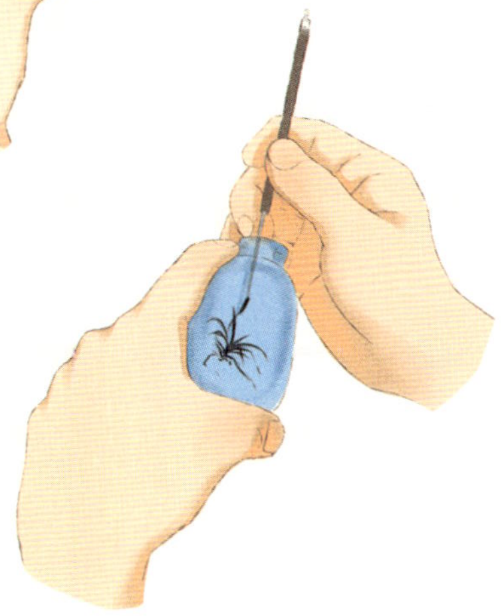

北京内画

广东内画

衡水内画

材料

由料器（玻璃）、瓷器发展到象牙、琥珀、珊瑚、玛瑙、水晶、竹根等。

工艺

写、画、雕、刻、镂、錾、烧、焊、凿、磨、镶、嵌、铸、错、粘、漆及模压等。

清朝内画名家

叶仲三
周乐元
丁二仲
马少宣

（上图依次为四人的内画作品）

内画壶的传说

相传乾隆末年，一位地方小官吏进京办事。他为人正直，为官清廉，因为没有行贿，致使公事一再被拖延，最后被迫寄宿在京城的一所寺庙里。由于他嗜好鼻烟，当玻璃鼻烟壶中的鼻烟用尽时，苦于无钱购买，只得用烟匙去掏黏在壶壁上的鼻烟，结果把内壁划出一道道痕。庙里的一位和尚看见了，灵机一动，用一根弯勾的竹签蘸上墨伸入透明的料器壶内壁上作画，于是内画壶就诞生了。

泥塑

泥塑是一种流行于中国民间的传统雕塑工艺，如果你留意观察，生活中既有生动有趣的小型泥塑，也有庙宇石窟中严肃的大型泥塑。

令人惊叹的是，这些惟妙惟肖的、极富视觉冲击力的艺术品，其原料竟然是很不起眼的泥土！当然，还需要经过民间艺人巧妙的创作。这样一种源自生活又高于生活的艺术形式，肯定有丰富的历史传说、制作工艺，让我们一探究竟吧！

泥塑

申报时间：　2006

申报类别：　传统美术

申报地区：　天津市（天津泥人张）

　　　　　　江苏省（惠山泥人）

　　　　　　陕西省（凤翔泥塑）

　　　　　　……

历史

新石器时代，中国已有泥塑。辽宁省牛河梁红山文化遗址出土的“女神”彩塑，距今已5500多年。

现状

泥塑集民俗、宗教、雕塑、绘画、书法等诸种艺术为一体，具有很高的艺术和历史文化研究价值。随着社会的变革，泥塑日渐凋零，对其进行发掘、抢救和保护已刻不容缓。

题材

历史人物、神话故事、田园动物、民间传说及中国古典戏曲、小说等文学作品中的相关形象。

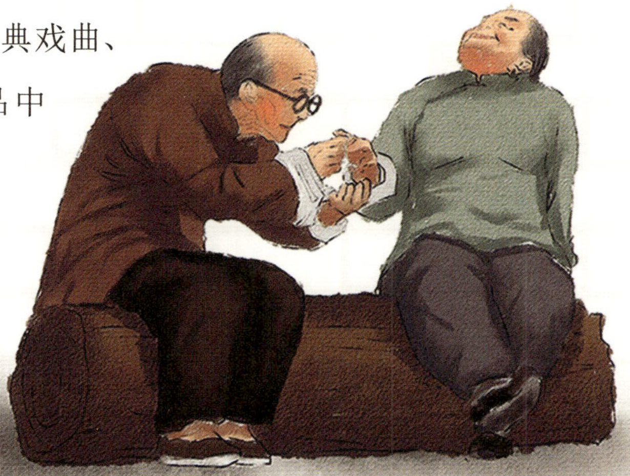

凤翔泥塑

惠山泥人

浚县泥咕咕

制作工序

取泥→ 搽泥→ 入模→ 贴模→ 出模→ 晾晒→ 上白粉→ 线描→ 随线→ 上色→ 上清漆

取泥

搽泥

入模

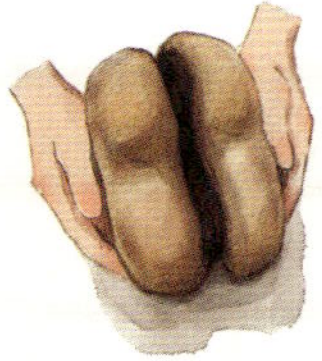

贴模

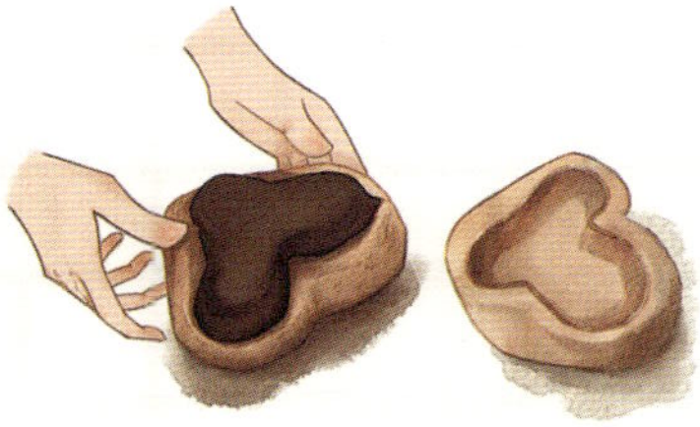

出模

特征

* 手法写实
* 造型准确
* 形象逼真
* 个性鲜明
* 色彩雅致
* 自然谐调

大型泥塑　主要放置于石窟、庙宇、陈列馆之中，如敦煌莫高窟及麦积山石窟的佛教塑像等。

小型泥塑　均为彩塑“泥人”，是别具情趣的工艺美术品，如无锡惠山泥人、天津泥人张的泥塑等。

凤翔泥塑的由来

相传明代洪武年间，朱元璋率领军队打了胜仗，在凤翔一带安营扎寨，垦荒种地。后来撤销了兵屯制，第六营的士兵便在驻地安家落户，从此这个地方便称为六营村。

当时第六营的士兵有一部分是江西人，他们会陶瓷手艺。于是，农闲时这些士兵便就地取材，用凤翔当地的“板土”和成泥巴，捏成泥人等在集市上售卖。经过几百年的发展演变，便形成了凤翔特有的泥塑艺术。

传统插花

看到荷花，你一定会联想到“出淤泥而不染”的高洁；提起梅、兰、竹、菊，“四君子”的雅号就会浮现在脑海……中国传统插花正是从植物的花、枝、叶中取材，经过构思、筛选、修剪等工艺，创作出造型独特、意境不凡的艺术品。

也许你会认为，不就是把几种花拼在一起吗，这还不简单？实际上你小瞧了传统插花。它融合了园林、盆景、绘画等艺术的精华，达到“虽由人作，宛自天开”的艺术境界。

传统插花

申报时间：　2008

申报类别：　传统美术

申报地区：　中央（北京林业大学）

历史

早在三千多年前，我们的祖先就开始用插花这门艺术来装点简朴的生活。隋唐时传入日本，影响了日本花道的发展。遗憾的是，这门艺术发展到清朝末年就在中国走到了尽头，直到 20 世纪 80 年代才开始复苏、重现光彩。

现状

目前，以王莲英、秦魁杰等为首的北京插花艺术研究会正致力于这项传统技艺的倡导、传承和发展。作为插花艺术的起源国，我们每个人都担负着将其发扬光大的责任，不能让这一文化遗产再次断流。

流程

构思→构图→选材→修剪→固定→调整→陈设

特点

传统插花通常分为宫廷插花、文人插花、寺观插花、民间插花。观察下面四幅图片，你能发现它们有哪些共同特点吗？比如：

* 构图不对称，追求不受约束的自然美；
* 借助花枝的线条，造型高低错落、伸展自如；
* 选用协调的容器与花材搭配，并摆放在合适的位置；
* 以花传情，通过插花表达深远的意境。

容器

瓶、盘、碗、篮、缸、筒等。

宫廷插花
（结构严谨、富丽堂皇）

文人插花
（清雅隽永、洒脱飘逸）

寺观插花
（空寂绝尘、纯净空灵）

民间插花
（朴实纯真、喜庆热闹）

插花吟

邵雍（宋）

头上花枝照酒卮，
酒卮中有好花枝。
身经两世太平日，
眼见四朝全盛时。
况复筋骸粗康健，
那堪时节正芳菲。
酒涵花影红光溜，
争忍花前不醉归。

插花的故事

夜，静悄悄的。透过窗户，月光斑驳地洒在地上。桌上靛青色的盘中，大家正你推我挤，好像在争论着什么。

“我的颜色最鲜艳，你们都要听我的。”向日葵大声嚷嚷。

“瞧你，又矮又粗的，哪比得上我亭亭玉立？”粉色剑兰一脸不屑。

“你们别忘了，花再美，也得需要绿叶的衬托啊！”玉簪叶也不甘示弱。

“哎哟！你们别再吵啦，听我老头子说一句吧。”花盘爷爷忍不住打断了他们，“一根筷子易折断，十根筷子抱成团。你们谁也离不开谁，没有高矮之分，哪有层次分明？没有红绿搭配，哪来色彩斑斓？”

这一席话，说得向日葵、粉色剑兰、玉簪叶一脸羞愧，纷纷低下了头。

从此，他们仨相亲相爱，在花盘爷爷的家里幸福地生活着。